Para mis nietos — EA

Para quienes disfrutan de compartir sus
conocimientos — MM

Texto © 2011 de Elisa Amado
Ilustraciones © 2011 de Manuel Monroy
Traducción al español de Luis Barbeytia
Publicado en Canadá y los Estados Unidos en 2011 por
Groundwood Books

Groundwood Books / House of Anansi Press
110 Spadina Avenue, Suite 801, Toronto, Ontario M5V 2K4
o c/o Publishers Group West
1700 Fourth Street, Berkeley, CA 94710

Agradecemos el apoyo financiero otorgado a nuestro programa
de publicaciones por el gobierno de Canadá por medio del
Canada Book Fund (CBF).

Library and Archives Canada Cataloguing in Publication
Amado, Elisa
[What are you doing? Spanish]
¿Qué estás haciendo? / Elisa Amado ; ilustraciones
de Manuel Monroy.
Translation of: What are you doing?
ISBN 978-1-55498-183-0
I. Monroy, Manuel. II. Title. III. Title: What are
you doing? Spanish.
PS8551.M335W5318 2011   jC813'.6   C2011-905051-X

Las ilustraciones se crearon digitalmente, usando dibujos a lápiz
de color y acuarela.
Diseño de Michael Solomon
Impreso y encuadernado en China

¿Qué estás haciendo?

Elisa Amado

Ilustraciones de

Manuel Monroy

GROUNDWOOD BOOKS / LIBROS TIGRILLO
HOUSE OF ANANSI PRESS
TORONTO BERKELEY

—¿Qué estás haciendo? —preguntó la mamá
de Chepito mientras él salía corriendo.

—¿Por qué, por qué, por qué? —dijo Chepito.

—Hoy empieza la escuela, ¿te acuerdas?
Tenemos que irnos después de comer.
No te tardes.

—No quiero ir a la escuela —se dijo a sí
mismo Chepito.

—¿Qué estás haciendo? —preguntó Chepito.

—Leyendo el periódico —contestó el hombre.

—¿Por qué, por qué, por qué? —dijo Chepito.

—Para ver quién ganó, por supuesto.

—¿Qué estás haciendo? —preguntó Chepito.

—Estoy leyendo un cómic —contestó la niña.

—¿Por qué, por qué, por qué? —dijo Chepito.

—Porque Mafalda es muy divertida.

—¿Qué estás haciendo? —preguntó Chepito.

—Leyendo esta guía —contestó la señora.

—¿Por qué, por qué, por qué? —dijo
Chepito.

—Estoy perdida. ¿Dónde estamos,
por cierto? —dijo la señora.

—¿Qué estás haciendo? —preguntó Chepito.

—Leyendo las instrucciones —contestó
el mecánico.

—¿Por qué, por qué, por qué? —dijo
Chepito.

—Porque no entiendo qué se le descompuso
a este mugroso coche.

—¿Qué estás haciendo? —preguntó Chepito.

—Leyendo esta revista —contestó la muchacha.

—¿Por qué, por qué, por qué? —dijo Chepito.

—Porque así puedo escoger un bonito peinado para el baile de esta noche.

—¿Qué estás haciendo? —preguntó Chepito.

—Leyendo los jeroglíficos de esta estela —contestó el arqueólogo.

—¿Por qué, por qué, por qué? —dijo Chepito.

—Porque cuentan sobre la guerra que hubo aquí hace más de mil años, cuando los reyes mayas gobernaban este lugar.

Chepito llegó a su casa justo a tiempo.

Después de comer la mamá de Chepito y
su hermana menor, Rosita, lo acompañaron
a la escuela.

Chepito se asomó a su salón. Vio un librero
lleno de libros y decidió entrar.

—¿Qué estás haciendo? —le preguntó
a la maestra.

—Te voy a leer este libro —contestó ella.

Cucú, cucú,
cantaba la rana,
Cucú, cucú,
debajo del agua. (*)
Pasó un marinero.
Cucú, cucú,
llevando romero.
Cucú, cucú,
pasó una criada.
Cucú, cucú,
llevando ensalada.
Cucú, cucú
pasó un caballero.
Cucú, cucú,
con capa y sombrero.
Cucú, cucú,
pasó una señora.
Cucú, cucú,
llevando unas moras.
Cucú, cucú,
le pedí un poquito;
Cucú, cucú,
no me quiso dar.

abc
Lecturas

Chepito corrió a su casa. Entró y se sentó en una silla. Sacó un libro de su mochila.

—¿Qué estás haciendo? —le preguntó su mamá.

—Estoy leyendo un libro —contestó Chepito.

—¿Aprendiste a leer en tu primer día
de clases? —le preguntó su mamá.

—No, pero puedo saber qué dice por los
dibujos —dijo Chepito.

—¿Te leo la historia, Rosita? —le preguntó
a su hermana.

—¿Por qué, por qué, por qué? —repitió ella.

Chepito iba a decir: "Porque es divertido".

Pero antes de que lo hiciera, Rosita dijo:
—Sí, leémelo.